El día que María perdió la voz

The Day María Lost Her Voice

Javier Peñalosa

Ilustrado por Estelí Meza

SCHOLASTIC INC.

ISBN 978-1-338-26688-7

12 11 10 9 8 7 6 5 4 3 2 1   18 19 20 21 22 23

Printed in the U.S.A.   40

First Scholastic printing, November 2018

Book design: Philippe Petitpas

El día que María perdió la voz

The Day María Lost Her Voice

Contenido

Contents

{1}

María Martínez hablaba todo el día. Se despertaba hablando. Se bañaba hablando, se lavaba el pelo hablando y hasta le salían burbujitas de jabón por la boca. Marcela Martínez, su mamá, decía que María había empezado a hablar desde que estaba en su panza. A María la comida siempre se le enfriaba porque hablaba y hablaba y hablaba y no comía.

. . . .

María Martínez talked all day long. She woke up and went to bed talking. She even bathed and washed her hair talking, with soap bubbles flying out of her mouth. Marcela Martínez, her mom, said that María began talking when she was in her belly. María's meals always went cold, because she would talk and talk and talk and forget to eat.

Le gustaba hablar de todo: de los aguacates, del peinado de las niñas de segundo, del día que se comió una manzana, de las pelusas en la ropa, del gato del vecino, de la lonchera de Fernanda, de sus caricaturas favoritas, de los tenis de Fermín, de bicicletas, de canguros, de camarones empanizados, de todo, María hablaba de todo con todo el mundo.

· · · · · · · · · ·

She talked about anything and everything: about avocados, about the big girls' hairdos at school, about the time she ate an apple, about the fluff she sometimes finds on her clothes, about the neighbor's cat, about Fernanda's lunchbox, about her favorite cartoon characters, about Freddy's sneakers, about bikes, kangaroos, breaded shrimp—about everything. María talked about anything and with anyone who would listen.

Por eso cuando cumplió seis años, Manuel, su hermano chico, les pidió a sus papás que le regalaran un par de tapones para los oídos. Él y María dormían en la misma recámara, y como su hermana hablaba hasta cuando estaba soñando, a él le costaba mucho trabajo poder dormir. A veces Manuel soñaba que María dejaba de hablar. En el sueño, él y su hermana se sentaban a jugar con sus juguetes y se ponían a comer dulces. Los dulces eran lo que más le gustaba a Manuel en todo el mundo. En ese sueño, María escuchaba todo lo que su hermano decía y eso era muy emocionante. Como María se la pasaba hablando nunca tenía tiempo para escuchar a los demás. A Manuel le gustaba mucho ese sueño, por eso nunca se lo contó a nadie. Dicen que si cuentas tus sueños no se hacen realidad.

María Martínez hablaba hasta con las piedras, de verdad.

That's why Manuel, María's little brother, asked his parents for some earplugs for his sixth birthday. María and Manuel shared a bedroom, and since his sister even talked in her sleep, it was hard for him to get any rest. Sometimes, Manuel dreamed that María stopped talking. In his dream, he and his sister would sit down to play and eat candy, which was Manuel's favorite thing to do in the whole world. In the dream, María listened to what Manuel had to say to her, and this was pretty big news. Since María never stopped talking, she didn't have time to listen to others. Manuel liked his dream a lot, which is why he never shared it with anyone. They say that if you tell people your dreams they don't come true.

María Martínez could talk to a stone. Seriously.

Una vez, Mamá tuvo que ir a buscarla al parque porque ya había tardado mucho en regresar a la casa y se estaba haciendo de noche. La encontró a una cuadra. María estaba sentada en unos escalones y hablaba con una piedra redonda.

—¿Por qué hablas con una piedra? —preguntó Mamá.

—Es que se parece mucho a mi osito Duno y quería contarle que una vez que me mandaste a la tienda vi una piedra que se parecía a mi osito Duno...

—María, por favor, vámonos a la casa.

María había hablado durante horas con la piedra. Si la piedra hubiera podido caminar seguramente se habría ido.

Cuando acababa de entrar a la escuela, María llegaba todos los días con un reporte de conducta por hablar en clase.

Once, Mom had to go and look for her in the park because she'd taken ages to come home and it was getting dark. She found her on the sidewalk. María was sitting on some steps talking to a smooth, round stone.

"Why are you talking to that stone?" Mom asked.

"He looks a lot like my teddy, Ted, and I wanted to tell him that once, when you sent me to the shop, I saw another stone that looked a lot like my teddy Ted…"

"María, please, let's go home."

María had been talking to the stone for hours. If the stone had been able to walk off, it probably would have.

When she started school, María came home every day with a bad behavior slip for talking in class. In two weeks they'd used up all the slips in the entire school.

A las dos semanas ya se habían acabado todos los reportes de la escuela. Fue ahí cuando a Marco, el papá de María, se le ocurrió su primera gran idea: cuando María tuviera ganas de hablar en clase iba a ponerse un huesito de ciruela debajo de la lengua, así ya no podría distraer ni a sus compañeros ni a la maestra.

Por suerte para María, su mamá era muy paciente con ella. La abuela contaba que cuando la mamá de María estaba chiquita también era muy platicona. Por eso nunca la regañaba, ni a ella ni a Manuel.

Un día, Mamá le pidió a María que fuera al súper a comprar algo para la cena y un par de calcetines para Papá.

—Por favor, no te quedes hablando con la gente.

In two weeks they'd used up all the slips in the entire school. It was then that Marco, María's dad, had an excellent idea: when María felt like talking in class, she should put a plum pit under her tongue. That way she wouldn't bother either her classmates or the teacher.

Luckily for María, mom was very patient with her. Grandma said that Marcela Martínez had also been a chatterbox as a little girl. That's why Mom never scolded María or Manuel.

One day, Mom asked María to go to the supermarket to pick up something for dinner and a pair of socks for Dad.

"And don't hang around chitchatting with people, please."

—No me voy a tardar, no le voy a hacer como la niña que vi en un cuento que se tardaba mucho cuando iba al súper, porque tú ya me dijiste que no me tardara y a mí si me gusta hacerle caso a mi mamá en todo lo que dice, porque los niños que no le hacen caso a su mamá y son desobedientes...

Muchas veces Mamá tenía que interrumpir a María, porque si no se iba como hilo de media y no dejaba nunca de hablar.

—María, escúchame, te va a acompañar Manuel para que no te distraigas.

Y el pobre Manuel que estaba comiendo dulces en su cuarto, tuvo que ir al supermercado con la parlanchina de su hermana. A veces tenía que ir con ella para jalarla del brazo cuando se quedaba hablando con alguien.

"I won't be long. I'm not going to be like that girl I once read about in a story who took ages when she went to the store, because you already told me not to be long, and I like to do what my mom says, because the other children who don't listen to their moms and are naughty..."

Marcela Martínez often had to interrupt María, because if she didn't, her daughter would go on and on and never stop.

"María, listen to me, Manuel's going to go with you so you don't get distracted."

And poor Manuel, who was happily munching candy in his bedroom, had to go to the supermarket with his chatterbox sister. Every now and then, he had to go with her and tug at her arm when she was chatting someone's ear off in the supermarket.

{2}

Todo el camino de ida al supermercado, María le contó a su hermano lo importante que eran las agujetas de los zapatos, cuál era la forma de agujetas que más le gustaba y el día que se tropezó por no abrocharse las agujetas.

· · · · · · · · · · ·

All the way to the supermarket, María talked to her brother about how important shoelaces were, her favorite way of tying her shoelaces, and the day she fell over because she hadn't tied her shoelaces.

Cuando Manuel creyó que su hermana había terminado, María empezó a explicar por qué no le gustaban las piñas, después dijo que en países como Brasil la gente desayunaba piña, almorzaba piña y cenaba piña. Y que también les gustaba ponerse piñas como sombreros. Cuando llegaron al supermercado fueron directo a comprar los calcetines que Marcela les había encargado para su papá.

El papá de María se llamaba Marco Martínez y siempre se le rompían los calcetines del dedo gordo del pie. Todo el tiempo había que comprar calcetines para él. Marco Martínez decía que conocía a mucha gente que se había enfermado de la garganta por usar calcetines con hoyitos. Y como le gustaba mucho inventar cosas, un día dijo que iba a hacer unos parches para calcetines que taparan justo el dedo gordo del pie. Pero mientras hacía los parches tenían que comprarle calcetines nuevos.

Just when Manuel thought that his sister had finally finished talking, María began to explain why she wasn't a fan of pineapples. Then she told him that in countries like Brazil people ate pineapple for breakfast, lunch, and dinner and that they also liked to wear pineapples as hats.

When they got to the supermarket, they went straight to buy the socks that Mom had told them to buy for Dad. María and Manuel's dad, Marco Martínez, was always wearing holes in his socks with his big toe. They constantly had to buy him new socks. Marco Martínez said that plenty of people had ended up with sore throats because they'd worn socks with holes in them. And since Marco Martínez really liked inventing things, one day he said he was going to invent patches for socks that patched up precisely the area that your big toe pokes holes in. But until he invented his patches, they had to buy him new socks.

Cuando los hermanos Martínez llegaron al pasillo de los cereales, María ya estaba contándole a su hermano de una niña de la escuela a la que le gustaba comer el cereal con leche tibia. Manuel sólo decía que sí moviendo la cabeza, pero la verdad es que no le estaba poniendo mucha atención. Él prefería pensar en cuál era la mejor forma para abrir uno de los chocolates que más le gustaban.

. . . .

When María and Manuel reached the cereal aisle, María was already telling her brother about a girl from school who liked eating her cereal with warm milk. Manuel nodded, but the truth is he wasn't really paying much attention. He preferred thinking about the best way to open the wrappers of his favorite candy.

De pronto, pasó algo que cambiaría la vida de toda la familia Martínez.

Todo sucedió como en cámara lenta: Manuel vio cómo su hermana movía la boca mientras hablaba, después vio cómo, desde la parte más alta de un estante, una caja de cereal que estaba muy cerca de la orilla empezó a caerse. La caja de cereal voló por los aires y cayó justo sobre la cabeza de su hermana.

Después del golpe María se sobó la cabeza. Manuel estaba en el suelo de la risa. Pero fue entonces cuando ocurrió la desgracia. María intentó decirle a su hermano que una vez a un niño de su salón le había caído una pelota de básquet en la cabeza y que se había puesto a llorar todo el día, pero cuando intentó hablar, la voz no le salió. Lo intentó otra vez, pero de su boca no salía ni un sonido, ni media palabra.

—¿Por qué no hablas?, —preguntó Manuel.

Then something happened that would change the lives of the Martínez family forever.

It all took place in slow motion: Manuel watched his sister's mouth moving as she jabbered away; then he saw how a cereal box teetering on the edge of the highest shelf fell and went flying through the air, landing with a bump on top of his sister's head.

After the knock, María rubbed her head. Manuel was rolling on the floor laughing. But that's when the terrible thing happened. María went to tell her brother that once a boy in her class was hit on the head by a basketball and that he'd spent the whole day crying, but when she tried to speak, nothing came out. She tried again, but not a sound came from her mouth— not a single word.

"Why aren't you talking?" Manuel asked her.

Y María movía los labios y le hacía señas a Manuel con las manos y con los pies y hasta con las orejas, pero nada de voz, nada de nada. Entonces los dos supieron lo que había pasado:

—Se te salió la voz —dijo Manuel.

María se puso blanca del miedo, quiso gritar pero no pudo, quiso llamarle a Mamá y tampoco pudo, quiso contarle a Manuel que una vez había visto en la tele a gente que hablaba con las manos, pero no pudo. Era la sensación más extraña de todas, por primera vez en su vida María Martínez no podía decir nada. Se había quedado sin voz y sin palabras.

No había tiempo que perder, si a María se le había salido la voz en el súper a lo mejor todavía podían encontrarla por ahí. Así que los hermanos Martínez empezaron a buscar la voz de María.

María moved her lips and made signs at Manuel with her hands, her feet, and even her ears, but nothing came out of her mouth—nothing at all. Right then, they realized what had happened.

"You've lost your voice," Manuel said.

María's face went white with fear. She wanted to shout, but she couldn't. She wanted to call out for Mom, but she couldn't. She wanted to tell Manuel that once, on TV, she'd seen people talking with their hands, but it was no use. It was the strangest feeling ever. For the first time in her life, María Martínez couldn't say anything at all. She was at a loss for words—and she'd lost her voice!

There was no time to lose. If María had lost her voice in the supermarket, it was likely they could still find it around there somewhere. So the Martínez siblings set about looking for María's voice.

Primero revisaron una por una las cajas de cereal, pero no la encontraron. María movía y movía los labios como si estuviera hablando, como si quisiera decir algo, pero nada, de su boca no salía ni una sola palabra.

—Tenemos que encontrarla antes de que salga a la calle —dijo Manuel.

Agitaron todas las cajas del pasillo, esperando que en algún momento alguien les contestara desde adentro. Cuando vieron que no había nada, se pusieron a buscar debajo de los estantes, pero lo único que encontraron ahí fueron pelusas del tamaño de una pelota de futbol. María estaba desesperada, se notaba que se moría por decir algo, pero sus intentos no funcionaban. A Manuel se le ocurrió algo:

—¿Si fueras tu voz en dónde te gustaría estar?

First they searched the cereal boxes, one by one, but they didn't find it there. María opened and closed her lips as if she were to speak, as if she wanted to say something, but nothing—not a single word came out of her mouth.

"We have to find your voice before it makes it out to the street." Manuel said.

They shook all the boxes in the aisle hoping that sooner or later a voice would call out from inside. When they didn't find anything there, they began to search under the shelves, but the only thing they came across there were great big balls of fluff. María was desperate. You could tell she was dying to say something, but nothing seemed to work. Manuel had an idea.

"If you were your voice, where would you be?"

María se quedó pensando un poco y después dobló sus brazos y empezó a agitarlos como si fueran alas. Claro, pensó Manuel, nadie habla más que las gallinas. Así que Manuel y María corrieron por los pasillos del súper hasta llegar a la pollería. Y la voz de María tampoco estaba ahí.

Durante casi dos horas, los hermanos Martínez estuvieron buscando por todas partes: en el departamento de las verduras, en las filas para pagar, entre las manzanas, en la sección de los dulces, de los juguetes... ¡hasta en el baño se habían asomado!

Los hermanos se voltearon a ver, sólo les quedaba una opción. Por el micrófono del súper una señorita llamó a la voz de María:

—A la voz de la niña María Martínez, la esperan sus familiares en la puerta. A la voz de la niña María Martínez, la esperan sus familiares en la puerta...

María thought for a moment, and then she bent her arms and started flapping her elbows as if they were wings. "Of course," Manuel thought. "No one babbles more than chickens." So Manuel and María ran through the supermarket aisles until they found the chicken section. But María's voice wasn't there either.

For two hours, the Martínez siblings searched high and low: in the vegetable section, in the checkout lines, by the apples, in the bakery, in the toy department... they even poked their heads into the bathroom!

María and Manuel Martínez turned to look at each other: there was only one thing left to try. Over the supermarket loudspeaker a lady made a call for María's voice:

"María Martínez's voice, your family is waiting for you at the help desk. María Martínez's voice, your family is waiting for you at the help desk..."

Y nada, no apareció por ninguna parte.

—Se está haciendo de noche —dijo Manuel—. Creo que será mejor que regresemos a casa.

Los hermanos Martínez caminaron en silencio a casa. María intentaba hablar moviendo los labios. Simplemente no podía creer lo que acababa de pasarle. ¿Ahora cómo iba a platicar con sus amigas de la escuela? ¿Cómo iba a decirle a alguien por qué la gente en Brasil usa las piñas como sombreros? Manuel sólo pensaba en cómo explicarles a sus papás lo que acababa de pasar en el súper. También pensaba en un dulce que le gustaba mucho.

Nothing. It didn't show up anywhere.

"It's getting late," Manuel said. "We better go home."

The siblings walked in silence. María tried to talk, moving her lips. She simply couldn't believe what had happened to her. How was she going to chat with her friends at school now? How was she going to explain to people why they use pineapples as hats in Brazil? Manuel was thinking about how he was going to explain to Mom and Dad what had just happened in the supermarket. And he was also thinking about his favorite candy.

{3}

Cuando llegaron a casa, sus papás ya los estaban esperando para cenar.

—¿En dónde se habían metido? —preguntó Mamá.

Manuel y María no contestaron.

—¿Y mis calcetines? —preguntó Papá.

. . . .

When they got home, their parents were already waiting for them to eat dinner.

"Where have you two been?" Mom asked.

Manuel and María didn't answer.

"And my socks?" Dad asked.

Manuel y María tampoco contestaron.

De pronto, Marcela y Marco Martínez se voltearon a ver con cara de preocupación. Algo muy pero muy extraño estaba pasando ahí. Desde que sus hijos habían llegado del súper, María no había dicho nada de nada.

—¿Hija, te sientes bien? —preguntó Mamá.

Y María no contestó.

—¿Te duele la panza? —preguntó Papá.

Y María tampoco contestó.

Los papás Martínez voltearon a ver a Manuel enseguida.

—Se le perdió la voz en el súper —dijo Manuel.

Mamá dio un grito y hasta se le cayeron los aretes de la impresión. Casi se desmayó.

Manuel and María still didn't answer.

Marcela and Marco Martínez looked at each other, concerned. Something very strange was going on. Since the children had come back from the supermarket, María hadn't said a word.

"Are you feeling okay, dear?" Mom asked.

And María didn't answer.

"Do you have a tummy ache?" Dad asked.

And still María didn't answer.

Marcela and Marco Martínez turned straight towards Manuel.

"She lost her voice in the supermarket," he told them.

Mom let out a loud shriek and her earrings fell off. She nearly fainted.

—Pero eso es imposible —gritó Papá—. María, por favor, ¡dinos algo!

María Martínez hizo su mejor esfuerzo por decirle a Papá que ya estaba cansada de todo y que lo único que quería era que su voz regresara. Se concentró mucho. Se concentró tanto que hasta se puso roja. Y sólo pudo mover los labios, no dijo nada.

. . . .

"But that's impossible!" Dad shouted. "María, please, say something."

María Martínez tried her best to tell her dad that she was tired of the whole situation and that the only thing she wanted was for her voice to come back. She concentrated really hard. She concentrated so hard she turned bright red. And still she could do nothing but open and close her mouth—not a single sound came out.

Entonces, Manuel les explicó a sus papás cómo había pasado todo. Les dijo cómo le había caído la caja de cereal a María, les contó cómo habían buscado su voz por todas partes y que ni llamándola por el micrófono del súper había aparecido.

Mamá no entendía bien lo que estaba pasando. Le costaba mucho trabajo creer que a alguien se le perdiera la voz, sobre todo a la platicona de su hija. Por eso se acercó muy despacito hasta el lugar en el que estaba María y, sin que se diera cuenta, le dio un pellizco en el brazo. María saltó, manoteó mucho y se sobó, pero ni siquiera había gritado.

—Sólo hay una forma de saber si en verdad perdió la voz —dijo Papá y subió corriendo las escaleras.

Cuando bajó traía en las manos su almohada, tomó unas tijeritas y le sacó unas cuantas plumas, después sentó a María en la mesa del comedor y le quitó los zapatos y los calcetines.

So Manuel told his parents all about what had happened. He told them about how the cereal box had fallen on María's head and how they'd searched and searched for her voice all over, and that not even announcing it on the supermarket loudspeaker had helped.

Mom couldn't figure out what was going on. She found it hard to believe that anyone could simply lose their voice, least of all her chatterbox of a daughter. And that's why she crept up behind María very sneakily and gave her a little pinch on the hand. María jumped up out of her seat, waved her arms around, and rubbed her hand, but she didn't let out a single sound.

"There's only one way to work out if she really has lost her voice," Dad said, and he ran upstairs.

When he came back down, he had a pillow in his hands. He took a small pair of tweezers and pulled out three or four feathers.

Después tomó una de las plumas y le empezó a hacer cosquillas en los pies a su hija. María, que siempre había sido muy cosquilluda, empezó a doblarse de risa, pero no se escuchó nada.

—De verdad perdió la voz —dijo Mamá.

—De verdad la perdió —dijo Papá.

—Tengo hambre —dijo Manuel.

La familia Martínez estaba muy preocupada, pero estaban cansados y tenían hambre. Además, ya era de noche y no había mucho que pudieran hacer a esas horas. Lo mejor sería cenar e irse a dormir. Buscarían la voz de María al día siguiente.

Esa noche a María no se le enfrió la sopa. Además, Papá puso un disco después de la cena.

Next, he sat down next to María at the dinner table and took off his daughter's shoes and socks. Then he took one of the feathers and began to tickle her feet. María, who had always been very ticklish, fell into a fit of giggles, but in complete silence.

"She really has lost her voice," Mom said.

"She really has," Dad said.

"I'm starving," Manuel said.

The Martínezes were very concerned, but they were also tired and hungry. What's more, it was already late, and there wasn't much they could do at that time of night. The best thing would be to have dinner and go to bed. They'd look for María's voice in the morning.

That night María's soup didn't go cold, and Dad was even able to listen to his favorite music after the meal.

—Hacía mucho que no escuchaba música —dijo Mamá.

La verdad es que todos estaban muy preocupados por la voz de María, aunque también estaban disfrutando de la tranquilidad en la casa. Claro, todos menos María.

Antes de dormir, María se paró frente al espejo y se puso a mover los labios como si estuviera hablando, después se metió un dedo en la boca para ver si encontraba algo, pero no tuvo suerte.

Cuando Manuel se metió en su cama, buscó en su mesita de noche los tapones para los oídos que le habían regalado sus papás, pero se acordó de que esa noche no iba a tener que usarlos.

"It's been a long time since I've listened to music," Mom said.

Of course, they were all very worried about María's voice, but they were also enjoying how peaceful the house was. That is, everyone except for María.

Before going to sleep, María stood in front of the mirror and began moving her lips as if she were talking. Then she popped her finger in her mouth to see if she could find anything in there, but she didn't have any luck.

When Manuel came to bed, he reached out to his bedside table for the earplugs his parents had given him, but he realized right away he wouldn't be needing them.

{4}

Cuando María se despertó, la luz del sol ya estaba entrando por la ventana de su recámara. Quiso hablar con su osito de peluche para darle los buenos días y decirle que era importante lavarse los dientes en la mañana, porque los osos y los niños tienen que cuidar sus dientes, pero recordó que no podía hablar.

. . . .

When María woke up, sunlight was already pouring in through her bedroom window. She wanted to have a chat with her teddy, Ted. She wanted to say good morning and tell him that it was important to brush your teeth when you wake up, because little boys and little girls and teddies all have to look after their teeth, but then she remembered she couldn't speak.

María se vistió rápidamente y bajó a la cocina. En el comedor había una gran montaña de papeles.

—Mira lo que hice —dijo Papá.

Papá se había pasado toda la noche trabajando en unos carteles que quería pegar en el vecindario. María leyó lo que decían:

SE BUSCA

VOZ PARLANCHINA

RESPONDE

AL NOMBRE DE MARIA

HABRÁ RECOMPENSA

$$$

María got dressed in a flash and went down to the kitchen where she found a great big pile of paper on the table.

"Take a look at what I've done," Dad said.

Marco Martínez had been up all night making posters, which he wanted to put up around the neighborhood. María read them:

LOST VOICE

LIKES TO CHAT

ANSWERS TO "MARÍA"

REWARD

$$$

María sonrió y le dio un beso a Papá.

—Y yo también tengo algo para ti —dijo Mamá.

María recibió una libreta nueva y muchas plumas de colores. Ahora podría anotar lo que quisiera decir y la gente la entendería.

—Claro, en lo que encontramos tu voz —dijo Mamá.

En ese momento Manuel bajó las escaleras, no llevaba el uniforme de la escuela.

—Yo también te voy a ayudar —dijo.

Manuel iba a acompañarlas con el doctor. No había nadie mejor que él para explicar lo que había pasado en el súper.

María went up to Dad and gave him a big kiss on the cheek.

"I've got something for you too," Mom said.

Marcela Martínez passed María a brand-new writing pad and some felt-tip pens. Now she could write down what she wanted to say, and people would understand her.

"Only until we find your voice, of course," Mom added.

Just then Manuel came skipping down the stairs. He wasn't wearing his school uniform.

"I'm going to help too," he said, excitedly.

Manuel was going to go with them to the doctor. There was no better person to explain what had happened to María in the supermarket.

Cuando llegaron al consultorio del Dr. Mendiola, María estaba muy nerviosa. Nunca le había gustado ir al doctor, le tenía miedo a las inyecciones y las medicinas que le daban siempre sabían horrorosas. A Manuel le encantaba ir al doctor porque le daban dulces.

El doctor saludó a Mamá. A María y a Manuel sólo les pasó la mano por encima de la cabeza. María quiso decirle que no le gustaba que la despeinaran porque es muy importante estar bien peinado y arreglado.

El Dr. Mendiola escuchó con mucha atención el caso de María.

—Usted no se preocupe, señora Martínez, ahora mismo vamos a encontrar la voz de su hija.

El doctor llamó a una de sus enfermeras y se puso unos guantes de plástico, después le pidió a María que abriera la boca lo más grande que pudiera.

When they arrived at Dr. Mendiola's office, María was very nervous. She had never liked going to the doctor: she was scared of shots, and the medicines they gave her always tasted disgusting. Manuel, on the other hand, loved going to the doctor, because they always gave him candy.

Dr. Mendiola shook Mom's hand and patted María and Manuel on the head. María wanted to tell him that she wasn't happy about him messing up her hair because it's very important to keep your hair neat and tidy.

Dr. Mendiola listened to María's case, fascinated.

"Don't you worry, Mrs. Martínez. We'll find your daughter's voice right away."

The doctor called a nurse into the room and put on some plastic gloves. Then he asked María to open her mouth as wide as she could.

María se sentía como un león en el circo cuando el domador mete la cabeza en su boca. El Dr. Mendiola sacó una lamparita de su bata y alumbró el interior de la boca de María como si estuviera alumbrando una cueva profunda.

—¿Hay alguien ahí? —preguntó el doctor. Pero no hubo respuesta.

Después, el doctor puso su estetoscopio en el pecho de María, en su garganta, en su boca y ¡hasta en los pies!, pero todo lo que escuchó fue su corazón. Cuando terminó la revisión, el doctor le dijo a Mamá:

—Usted no se preocupe señora, he visto cientos de casos como éste. Seguramente la voz de su hija está jugando a las escondidillas. Eso pasa muchas veces con las niñas de su edad. Vamos a sacarle una radiografía y ya verán que aparece la traviesa.

María felt like a lion in the circus when the tamer puts his head between its jaws. Dr. Mendiola took a little flashlight from his white coat and lit up the inside of María's mouth as if he were lighting up a deep, dark cave.

"Is there anyone in there?" the doctor asked, but there was no answer.

Next, Dr. Mendiola placed his stethoscope on María's chest, her throat, her mouth, and even on her feet, but the only thing he could hear was her heart. When he finished examining María, the doctor told Mom:

"Don't worry, Mrs. Martinez. I've seen hundreds of cases like this. I've no doubt your daughter's voice is playing hide-and-seek. It happens a lot at her age. We'll do an X-ray and you'll see: that naughty little voice will show up."

Cuando María escuchó esto se puso muy contenta. Mamá también estaba contenta. Manuel le pidió un dulce a la enfermera que se llevó a María a la sala de los rayos-X. María estaba emocionada, era la primera vez en su vida en la que le sacarían una radiografía. Una amiga de la escuela le había dicho que las radiografías eran como fotos del esqueleto. ¿Cómo sería su esqueleto?

· · · · · · · · · · ·

When she heard this, María cheered up. Mom was happy too. Manuel asked the nurse taking María for her X-ray for candy. María was very excited: it was the first time in her life that she was going for X-rays. A girl in her class had told her that X-rays were like photos of your skeleton. What would her skeleton look like?

Cuando llegaron las radiografías, el Dr. Mendiola se puso a revisarlas. Por la cara que puso, todos supieron que algo no andaba bien.

—Pues no la encuentro, señora Martínez —dijo el doctor.

—Pero aquí está —dijo Mamá señalando a María.

—No a ella, a su voz.

Los cuatro se acercaron a la radiografía y la vieron muy pero muy bien: sólo se veía el esqueleto de María, pero de su voz, nada. Además, nadie podía imaginarse cómo se vería una voz.

—Un momento —gritó Mendiola—. Ahí hay algo.

Manuel, Mamá Y María pegaron el ojo a la radiografía.

When the X-rays came back, Dr. Mendiola looked them over. From the face he made, they all guessed something wasn't right.

"Well, I simply can't find our chatterbox, Mrs. Martínez," the doctor said.

"But she's right here," Mom said, pointing at María.

"Not her, her voice!"

All four of them huddled over the X-rays. You could see María's skeleton very clearly—but her voice was nowhere to be found. And to make matters worse, nobody was even really sure what a voice might to look like.

"Hold on!" Dr. Mendiola shouted. "There's something there!"

Manuel, Mom, and María put their noses right up to the X-ray.

—Yo no veo nada —dijo Manuel.

—Yo tampoco —dijo Mamá.

—Sí, sí, ahí, miren bien, ese puntito negro de ahí.

Pero lo que veían no era la voz de María, ¡era la cabeza de un juguete de Manuel!

—Si no es su voz, ¿entonces qué es eso?

—Es la cabeza de Pipo —dijo Manuel, y después se puso a llorar porque Pipo era su juguete favorito de todos los tiempos.

Cuando Mamá y el doctor voltearon a ver a María, ella estaba terminando de escribir una nota en su libreta:

Fue sin querer

María arrancó la hoja del cuaderno y apuntó en una nueva:

"I don't see anything," Manuel said.

"Me neither," Mom said.

"Yes, yes, there! Look harder. That black speck right there."

But they weren't looking at María's voice: it was the head from one of Manuel's toys!

"If it's not her voice, then what is it?"

"It's Pipo's head!" Manuel exclaimed, before bursting into tears because Pipo was his favorite toy of all time.

When the doctor and Mom turned around to look at María, she was just finishing scribbling something on her writing pad:

I didn't mean to

María tore off the piece of paper and pointed at another one:

Parecía una pasita con chocolate

Además en ese momento nadie podía enojarse con María, ni siquiera Manuel. Él también había intentado comerse la cabeza de Pipo antes, porque sí parecía una pasita con chocolate.

El Dr. Mendiola no supo qué recetarle a María, dijo que nunca había visto un caso parecido.

Manuel, Mamá y María Martínez regresaron a su casa. En el coche nadie dijo nada. Escucharon la radio todo el camino.

A María le hubiera gustado cantar.

I thought it was a chocolate raisin

Nobody had the heart to get angry with María, not even Manuel. And besides, he too had once tried eating Pipo's head—it really did look like a chocolate raisin.

Dr. Mendiola didn't know what medicine to prescribe María; he said he'd never seen anything like it.

Manuel, María, and Marcela Martínez all went home. In the car nobody said a word. They listened to the radio the whole way.

María would have liked to sing along.

{5}

Cuando llegaron a casa, Papá ya los estaba esperando. Se veía muy emocionado. Les contó que en el trabajo se le había ocurrido una idea buenísima que no podía fallar. Pensó que, tal vez, la voz de María no se había escapado en el súper, y que a lo mejor se había escondido en su panza, no en la garganta. Por eso el Dr. Mendiola no la había podido ver.

. . . .

When they got home, Dad was waiting for them. He looked very excited about something. He explained to them how at work he'd had a super-duper idea that couldn't fail. He thought that maybe María's voice hadn't escaped in the supermarket but rather had just hidden itself in her belly. That's why the doctor hadn't been able to see it—he'd been looking down her throat.

La idea de Papá era la siguiente: si colgaban a María de cabeza, su voz iba a bajar por la panza hasta la garganta y después iba a salir por la boca. Así de fácil. A Mamá no le pareció tan buena la idea, no le gustaba que colgaran de cabeza a su hija de la lámpara del comedor. Pero María estaba dispuesta a probarlo todo con tal de volver a hablar.

Manuel y Papá amarraron a María de los tobillos con una cuerda, después pasaron la cuerda por encima de la lámpara y la levantaron como si fuera una piñata.

—Se te van a salir los dulces —dijo Manuel.

Mamá se tapó los ojos, no quería ver nada de nada.

Dad's plan went like this: if they turned María upside down and left her hanging like that for a while, her voice would tumble out of her belly, go down her throat, and pop out of her mouth. Easy! Mom wasn't convinced it was a super-duper plan: she didn't like the idea of her daughter hanging upside down from the living room ceiling. But María was willing to try anything to get her voice back and talk again.

Manuel and Dad tied a piece of rope around María's ankles and then over the top of the ceiling light, and they hooked her up as if she were a piñata hanging from a fireplace.

"And the candies!" Manuel added.

Mom covered her eyes; she couldn't bear to look.

María empezó a balancearse por el techo; parecía un murciélago colgando de una rama. Después de unos minutos, la cara de María empezó a ponerse roja como un jitomate o como la nariz de un payaso, o como una mancha de mermelada en la camisa blanca del uniforme. Entonces hizo una señal a Papá y a Manuel para que la bajaran.

· · · · · · · · · ·

María began swinging from the ceiling. She looked like a bat hanging from the branch of a tree. After a couple of minutes, María's face began to go red like a tomato, or like a clown's nose, or like a strawberry jam stain on your white school shirt. Then she gave the signal for them to bring her down.

Después de desamarrarle los pies, María abrió la boca muy grande, como si fuera a gritar o a decir algo importante.

—Sabía que iba a funcionar —dijo Papá.

María había abierto la boca tan grande que parecía un cocodrilo. En ese momento, toda la familia Martínez estaba esperando a que la voz de María saliera. Bueno, Manuel estaba esperando que saliera un dulce. Y de pronto...

¡ZAZ!

De la boca de María salió... ¡la cabeza de Pipo! Manuel la limpió con una servilleta y se puso a dar saltos de alegría. Después cubrió de besos a su hermana y le dio las gracias.

María estaba un poco desilusionada: después de todo lo que habían pasado todavía no encontraba su voz. Además ya estaba empezando a cansarse de tener que anotar todo en la libretita que le había dado Mamá.

Once they'd untied her feet, María opened her mouth wide, as if she was about to scream or say something really important.

"I knew it would work," Dad said.

María had opened her mouth so wide she looked like a crocodile. The whole Martínez family was waiting for María's voice to come out. Well, Manuel was waiting for some candy to come out. And suddenly...

PLOP!

Out of María's mouth came...Pipo's head! Manuel cleaned it with a napkin and began leaping and jumping for joy. Then he kissed his sister, saying, "Thank you, thank you!"

María was a little bit disappointed: after all the lengths they'd gone to, she still hadn't found her voice. And on top of that, she was beginning to get a bit tired of writing everything down on the writing pad Mom had given her.

—Tal vez si la colgamos de la azotea pueda funcionar —dijo Papá.

—Sí, a lo mejor tiene más juguetes adentro —dijo Manuel.

—Se acabó, nada de azoteas, ni de juguetes ni de nada, todos a dormir. Y mañana vamos con el Dr. Cabecilla, a lo mejor él puede ayudarnos.

Y con la orden de Mamá todos se fueron a dormir.

"Perhaps if we hang her from the roof it will work," Dad said.

"Yes, she might have some more toys in her belly," Manuel said.

"That's enough. I'll have none of this 'hanging her from the roof' nonsense; everyone to bed. And tomorrow we're going to see Dr. Cabecilla. Perhaps he'll be able to help us."

And on Mom's orders, they all went to bed.

{6}

Los miembros de la familia Martínez estaban tan cansados que a la mañana siguiente se les hizo tarde para salir de casa. Ni siquiera les dio tiempo de desayunar; se fueron corriendo para llegar a tiempo a su cita con el Dr. Cabecilla.

. . . .

The members of the Martínez family were so sleepy the next day they were late getting out of the house. There wasn't even time to eat breakfast. They rushed out to get to their appointment with Dr. Cabecilla on time.

El Dr. Cabecilla era un psicólogo muy conocido en toda la ciudad. La gente hablaba de él todo el tiempo y aparecía en anuncios en la radio y en la televisión. El Dr. Cabecilla pensaba que todos los problemas de las personas están en su mente. Por ejemplo, si alguien tenía frío, él le decía: "No pienses en el frío; el frío es una ilusión, sólo está en tu mente". Pero a veces el frío no sólo estaba en la mente y a uno se le congelaban las orejas.

Una de las cosas que más le gustaba al Dr. Cabecilla era hipnotizar a sus pacientes. Sacaba de uno de sus cajones una cadenita de la que colgaba una medalla de metal y la balanceaba frente a sus ojos diciéndoles: tienes sueño, mucho sueño.

Cuando la familia Martínez le explicó al Dr. Cabecilla lo que había pasado con la voz de María, se quedó muy serio, viendo con ojos grandes a su pequeña paciente.

—Todo está en tu mente —le dijo.

Dr. Cabecilla was a psychologist, famous throughout the city. People never stopped talking about him, and he even appeared in TV ads and on the radio. The doctor believed that people's problems were in their minds. For example, if someone felt cold, he would say to them, "Don't think about the cold; the cold is an illusion. It's all in your mind." But sometimes the cold wasn't just in the mind, and your ears would freeze.

One of the things Dr. Cabecilla enjoyed most was hypnotizing his patients. He would often take out a silver chain with a medallion on the end and dangle it in front of their eyes, saying, "You are getting very, verrry sleepy."

When the Martínez family explained to Dr. Cabecilla what had happened to María's voice, he became very serious and stared at his young patient with his big eyes open wide.

"It's all in your mind," he told her.

La verdad es que a María el Dr. Cabecilla le daba un poco de miedo. Por eso cuando llegaron al consultorio comenzó a jalar a Mamá de la falda y se escondió detrás de ella. El Dr. Cabecilla tenía las manos grandes y peludas y usaba más anillos que muchas de las señoras que iban arregladas al supermercado. Además, tenía las uñas largas y la boca le olía a cigarro y a pollo con espinacas viejas.

· · · · · · · · · ·

The truth is María was a little bit scared of Dr. Cabecilla, which is why when they arrived at his clinic she clung to Marcela Martínez's skirt and hid behind her. The doctor had big, hairy hands and wore even more rings on his fingers than the women who walked around the supermarket with high heels and lipstick on. He also had long fingernails, and his breath smelled of cigarettes and chicken with moldy spinach.

—No te preocupes, nena, todo va a salir bien.

Algo que le chocaba a María era que le dijeran *nena*. Si hubiera tenido voz en ese momento le habría dicho:

—María. Me llamo María.

Manuel ya empezaba a ponerse inquieto y Mamá un poco nerviosa. Siempre que Manuel tenía hambre empezaba a revolverse en su silla y no se podía estar quieto hasta que comía algo.

—No se te perdió la voz —dijo—. La tienes en la cabeza. Ahora sólo tenemos que sacarla, nena.

Cada vez que el Dr. Cabecilla decía *nena*, María se ponía roja de coraje. ¡Cuánto extrañaba a su voz! Manuel empezó a hacer el tonto y se paró de cabeza en la silla. Mamá tuvo que acomodarlo, pero una vez que empezaba era difícil detenerlo.

"Don't you worry, my girl. Everything's going to be fine."

One of the things that annoyed María about the doctor was that he called her my girl; if she'd had a voice, she would have said, "María! My name is María!"

Manuel had already begun to fidget, and Mom was clearly tense. Whenever Manuel was hungry he would start to spin around in his chair, and he wouldn't sit still until he'd had something to eat.

"You haven't lost your voice," Dr. Cabecilla said. "It's there inside your head. Now all we have to do it get it out, my girl." Each time the doctor said my girl, María's cheeks would turn red with rage. Oh, how she missed her voice!

Manuel began to fidget even more, and now he was standing up on his chair. Mom had to get him down, but once he'd started it was hard to stop him.

—Mamá, ¿ya vamos a acabar?

—Espera un poco, hijo.

Y un minuto después.

—Mamá, tengo hambre.

Y cada vez que Manuel empezaba a quejarse, o a retorcerse, o a brincar, el Dr. Cabecilla volteaba a verlo con cara de enojo.

—Doctor, ¿tienes dulces?

Mamá le dio un pellizco a Manuel y le dijo que se estuviera quieto de una buena vez por todas. Además, el Dr. Cabecilla no tenía ni medio cacahuate.

—Pero todos los doctores tienen dulces —dijo Manuel.

"Mom, are we done yet?"

"Almost, son."

And a minute later:

"Mom, I'm hungry."

Every time Manuel complained, wriggled in his seat, or jumped up and down, Dr. Cabecilla shot him an angry look.

"Got any candy, Doc?"

Marcela Martínez pinched Manuel and told him to be quiet and to behave once and for all.

In any case, Dr. Cabecilla didn't have so much as a peanut.

"But all doctors have candy," Manuel moaned.

El Dr. Cabecilla hizo como si no le pusiera atención y comenzó balanceando su medallita frente a los ojos de María.

—Tienes sueño, mucho sueño...

Pero María no tenía nada de sueño y lo único que podía ver eran las uñas sucias del Dr. Cabecilla.

—¿Tiene galletas? —preguntó Manuel.

El Dr. Cabecilla estaba tan concentrado que cuando escuchó a Manuel se le cayó la medalla hipnotizadora de las manos.

—¡No me distraigas, niño! —gritó el Dr. Cabecilla.

Como Manuel no estaba acostumbrado a que le gritaran se puso a llorar. A Mamá no le gustó nada que el doctor le gritara a Manuel, así que fue hasta donde estaba e intentó consolarlo.

The doctor ignored this comment and began to swing the medallion back and forth in front of María's eyes.

"You are getting very, verrry sleepy..."

But María wasn't in the least bit sleepy, and the only thing she could see were the doctor's dirty long fingernails.

"Cookies?" Manuel interrupted.

Dr. Cabecilla had been concentrating so hard that when he heard the boy's voice the medallion slipped right out of his hand.

"Don't distract me, little boy!" he yelled.

Since Manuel wasn't used to people shouting at him, he began to cry. Mom wasn't at all happy about the doctor shouting at Manuel, so she went to her son and tried to comfort him.

A María tampoco le gustaba que Manuel llorara, aunque el muy abusado ya sabía que cada vez que lloraba recibía toda la atención. María se levantó de la silla para abrazar a su hermano, pero el doctor la detuvo.

—Tú no puedes levantarte. Todavía no termino contigo, nena.

Nena, otra vez le había dicho *nena*. Ella no era ninguna nena y esto era más de lo que podía soportar. Esto sí que era el colmo. María se quedó viendo fijamente al Dr. Cabecilla, justo como si quisiera hipnotizarlo con la mirada. Después le sacó la lengua y salió del consultorio. Manuel salió corriendo detrás de su hermana. Después salió Mamá. El Dr. Cabecilla se quedó adentro, descolgó el teléfono, le habló a su secretaria y le pidió que comprara una bolsa de dulces y dos de galletas.

De regreso a casa nadie dijo nada. Mamá, porque estaba muy enojada, dijo que la payasada esa le había costado una fortuna.

María didn't like to see Manuel crying either, although the clever boy knew that every time he cried he got extra attention. María was standing up from her chair to hug her brother, but the doctor stopped her.

"You can't get up. I haven't finished with you yet, my girl."

My girl. Once again he'd called her my girl. She wasn't anyone's girl, and this was more than she could take. María sat staring at Dr. Cabecilla, as if trying to hypnotize him herself with her gaze. Then she stuck her tongue out at him and left the room. Manuel ran after her. Mom went after them both. The doctor picked up the phone on his desk, called his secretary, and asked her to buy a bag of candy and two packets of cookies.

They didn't talk much on the way home. Mom, who was really mad, said that load of nonsense had cost her an arm and a leg.

Cada vez que Mamá decía que algo costaba una fortuna era porque estaba enojada.

María no dijo nada porque no podía, pero le habría encantado decirle a su mamá que cada vez que alguien le decía nena sentía como si le pusieran limón en las orejas. Nunca había tenido limón en las orejas, pero sonaba muy feo.

Manuel tampoco dijo nada, tenía la boca llena de galletas.

Every time Mom said something cost her an arm and a leg, it was because she was really mad.

María didn't say anything because she couldn't. She would have loved to tell Mom that each time someone called her my girl, it felt like they had squeezed lemon in her ears. No one had ever squeezed lemon in her ears, but it sounded pretty horrible.

Manuel didn't talk either: his mouth was stuffed full of cookies.

{7}

En cuanto abrieron la puerta de la casa, Papá dio un salto enorme frente a ellos. Estaba contentísimo, dijo que tenía el invento perfecto.

¡Soy un genio, soy un genio!, gritaba, y daba de saltos mientras llevaba a la familia hasta la sala de la casa.

. . . .

When they opened the front door, Dad leaped out in front of them. He was very happy and excited about something; he said he had come up with the perfect invention.

"I'm a genius, a genius!" he whooped, jumping up and down as he led the family into the living room.

Manuel, Mamá y María no podían creer lo que estaban viendo: sobre la mesa del comedor Papá había armado una máquina enorme.

—¿Qué es esto, Marco? —preguntó Mamá.

—Se llama Cibervoz —dijo Papá.

Cibervoz era una máquina que imitaba la voz humana, al menos eso era lo que creía Papá. Con ella, María podría volver a hablar. Claro, en lo que encontraba a su verdadera voz.

María estaba impresionada: nunca había visto una máquina así en su vida. Si funcionaba, tendrían que hacerle una estatua a Papá para ponerla en el parque, y tendrían que ponerle un techo para que las palomas no la mancharan.

—¿Y estás seguro de que funciona? —preguntó Mamá.

Manuel, Mom, and María couldn't believe their eyes: on the dining room table, Dad had built a huge contraption.

"What is that, Marco?" Mom asked.

"It's called Cybervoice," Dad said.

Cybervoice was a machine that imitated the human voice; at least that's what Dad thought. With the help of Cybervoice, María would be able to speak again. Just until she finds her own voice, of course.

María was impressed. She'd never seen a machine like it. If it worked, they would have to put a statue of Dad in the park and build a roof over it so the pigeons didn't do their business on his head.

"And you're absolutely sure it works?" Mom asked.

—Sólo hay una forma de averiguarlo —le contestó Papá.

Manuel estaba tan emocionado con la máquina que le dieron permiso de prenderla. Apretó un botón y Cibervoz empezó a hacer ruidos extrañísimos. Era como si adentro tuviera el motor de un coche viejo, una lavadora descompuesta y una ardilla gritona. María estaba ansiosa por probar el invento, así que Papá le explicó cómo funcionaba. Era muy fácil: María sólo tenía que escribir una palabra en el teclado y Cibervoz la diría. María se acercó a la máquina y escribió algo. Parecía que adentro de Cibervoz la ardilla había dejado de gritar y se había puesto a correr. Entonces ocurrió lo magnífico. La máquina habló:

—Garcas apa.

Nadie había entendido nada, y la verdad es que María no tenía muy buena ortografía. Así que lo intentó de nuevo.

"There's only one way to find out," Dad answered.

Manuel was so excited about the machine they let him turn it on. He pushed a button, and Cybervoice began to make strange noises. It was as if there was an old car engine, a rattling washing machine, and a squeaky squirrel inside of it.

María was anxious to try out the invention, so Dad explained how it worked. It was very simple: María only had to type the words she wanted to say on a keyboard, and Cybervoice would speak them. María went up to the machine and wrote something. It sounded like inside Cybervoice the squirrel stopped squeaking and began running instead. Then something truly magical happened. The machine spoke:

"Fanks, add."

Nobody understood a word—in fact, María wasn't the best at spelling. So she tried again.

—Gracias, Papá —dijo Cibervoz.

La familia Martínez se puso loca de contenta, todos se abrazaron y rieron. Papá corría en círculos mientras gritaba:

—¡Funciona, funciona!

Era cierto. No era la voz más bonita del mundo; es más, era como si una lata estuviera hablando. Pero al fin María podía decir algo. Los Martínez estaban orgullosísimos de Papá. Mamá le dio un beso tan grande en la frente que se le quedó marcado el lápiz labial. Manuel hizo algo increíble: ¡le regaló uno de sus dulces favoritos! María escribió otra vez en el teclado:

—No m e gusa qe me dian nane.

—¿¿¿Quéee????

María se dio cuenta que algo había hecho mal, así que probó de nuevo.

"Thanks, Dad," Cybervoice said.

The Martínez family was ecstatic, and they laughed and hugged one another. Dad ran around in circles shouting, "It works! It works!" It's true, it wasn't the most beautiful voice in the world. In fact, it sounded as if a tin can was talking, but finally María was able to say something. The Martínezes were so proud of Dad. Mom gave him a great big kiss, leaving a great big lipstick mark on his forehead. Manuel did something unbelievable: he gave Dad one of his favorite candies! María typed another sentence on the keyboard:

"I don't lkie it when dey call me my gurl."

"Pardon?"

María realized she'd made a few mistakes, so she tried again.

"I don't like it when they call me my girl."

—No me gusta que me digan nena.

Todos los Martínez rieron.

—Jajajajajaja —dijo Cibervoz.

María era la más feliz de todos. Pero poco a poco fueron apareciendo preguntas en su cabeza: ¿Cómo iba a llevarse esa maquinota a la escuela? ¿Cómo iba a hacerle cuándo se estuviera bañando y quisiera cantar? ¿Y si jugaba a las escondidillas? ¿Y si quería contar un secreto? Además, en ese momento supo por qué eran tan importantes sus clases de ortografía: si no aprendía a escribir bien nadie le iba a entender.

—Aksdjglk —dijo Cibervoz.

—¡Manuel! ¡No juegues con eso! —gritó Papá.

Demasiado tarde. Una vez más la curiosidad le había ganado al menor de los Martínez.

All the Martínezes burst out laughing.

"Hahahahaha," Cybervoice said.

María was the happiest of all, but gradually questions started forming in her mind: How was she going to get that enormous machine to school? What was she going to do when she wanted to sing in the bath? And if she played hide-and-seek? And if she wanted to whisper a secret to someone? And just then it hit her why her spelling classes were so important: if she didn't learn to spell properly, no one would understand her.

"Akdiwdj," Cybervoice said.

"Manuel, stop playing with that!" María heard Dad shout.

Too late. Once again, curiosity had gotten the better of young Manuel Martínez.

Cibervoz comenzó a hacer un ruido nuevo. Era como si la lavadora que tenía adentro quisiera correr, como si la ardilla hubiera dejado de gritar y el motor del coche viejo se hubiera puesto a toser. La mesa empezó a sacudirse y Mamá, Manuel, Papá y María dieron un paso hacia atrás.

—Esa cosa va a explotar —dijo Mamá.

Pero Cibervoz no explotó, sólo lanzó mucho humo y después se apagó para siempre. Con todo y ardilla.

—¡Mi invento! —gritó Marco Martínez, mientras se dejaba caer de rodillas sobre el suelo.

—Ya inventarás otra cosa —lo consoló Mamá.

Manuel se puso a llorar; de verdad estaba arrepentido. Nunca se imaginó que esa máquina se descompusiera tan rápido. Había durado menos que cualquiera de sus juguetes en Navidad.

Cybervoice began to make a new noise. It was as if something was trying to run inside the washing machine, the squirrel had stopped squeaking, and an old car engine was coughing and spluttering. The table began to shudder, and Mom, Manuel, Dad, and María all took a step backwards.

"That thing's going to explode!" Mom said.

But Cybervoice didn't explode: it let off a big puff of smoke and then broke down and fell silent...squirrel and all.

"My invention!" Marco Martínez exclaimed, falling to his knees.

"You'll invent something else," Mom said, trying to comfort him.

Manuel began to cry again; he really did feel terrible. He never imagined that the machine would fall apart so easily. It had lasted even less time than some of his Christmas presents did.

Pero nadie se enojó con él, ni siquiera María. Ella seguía pensando que su Papá se merecía una estatua en el parque. Además, lo que ella quería era recuperar su verdadera voz.

And yet, nobody got upset with him, not even María. And she still thought Dad deserved a statue in the park. Anyway, what she really wanted was to get her real voice back.

{8}

—¿Y si vamos con Jonás?

En la cocina se hizo un gran silencio y todo se sintió tan frío como un congelador.

Jonás era un brujo muy famoso. Si un mago podía aparecer a un conejo, Jonás podía aparecer a una ballena entera, y comérsela.

. . . .

"What if we pay Jonás a visit?"

A heavy silence fell over the room, and suddenly everything felt frosty like they were in a freezer.

Jonás was a very famous wizard. If magicians could pull rabbits out of hats, Jonás could make whales appear, then eat them whole!

Todos lo sabían. Pero a diferencia de otros, Jonás era un brujo bueno y sólo hacía hechizos para ayudar a los demás. El único problema es que ya estaba un poco viejo y, a veces, sus trucos no le salían tan bien.

Una vez, había querido ayudar a una señora que cojeaba al caminar y, sin querer, en lugar de arreglarle las piernas le puso ruedas de bicicleta. Era la señora más rápida de todas. Otro día, a un niño que no oía bien le puso orejas de burro. El riesgo para María era alto.

Mamá dijo que no, que ni pensarlo.

Papá dijo que tenían que darle una oportunidad.

—Que decida María —dijo Manuel.

Y tenía razón. Después de todo ella era la que se había quedado sin voz.

Everyone knew this. But unlike other wizards, Jonás was kind and friendly, and he only cast spells to help others. The problem was that he was getting quite old, and sometimes his spells didn't come out exactly as expected.

Once he tried to help a woman with a limp, and, without meaning to, instead of fixing her legs he conjured two bicycle wheels in their place. She was the fastest woman in all the land. Another time, he gave a boy who couldn't hear very well donkey's ears. The risk was significant for María.

Mom said no way, not on her life.

Dad said they had to give Jonás a chance.

Manuel said they should let María be the one to decide.

And he was right: after all, it was María, not anyone else, who'd lost her voice.

María lo pensó toda la mañana. Le daba miedo que algo no saliera bien. ¿Qué tal que el viejo Jonás se equivocaba y la convertía en un oso hormiguero? Además de no poder hablar, se burlarían de ella en la escuela, y no se podía imaginar a la hora del recreo comiendo hormigas mientras sus amigos disfrutaban de un helado. Pero lo cierto era que no tenía tantas opciones, y después de todo ya había pasado por muchas cosas como para renunciar justo en este momento.

· · · · · · · · · · ·

María thought it over all morning. She was scared it might not turn out well. What if old Jonás made a mistake and turned her into an anteater? If that happened, on top of not being able to speak, they'd laugh at her at school. She could just picture recess and all her friends enjoying their ice cream while she snorted ants and termites off the ground! But it was also true that she didn't have many other options, and she'd already been through too much to give up now.

Antes de la hora del almuerzo, María ya había tomado una decisión: iría con Jonás.

La casa de Jonás era como un zoológico: tenía cinco perros, dos gatos, cuatro pericos, un tucán, tres puercoespines, dos changos, una víbora y, en el jardín, una cebra sin rayas. Jonás les contó que se las había puesto a un pobre tigre que había perdido las suyas cuando se las quitó para nadar en un río.

Jonás, que tenía el pelo largo y blanco, escuchó con mucha atención el caso de María mientras le daba de comer pedacitos de plátano a su tucán Ramiro.

—Creo que puedo ayudarte —dijo Jonás.

Entonces se levantó de su mecedora, abrió un cajón y sacó un libro viejo y empolvado que revisó con atención. María estaba muy nerviosa, pero también estaba emocionada. Con un poco de suerte podría recuperar su voz esa misma tarde.

María made up her mind before lunchtime: she was going to go see old Jonás.

Jonás's house was like a zoo: he had five dogs, two cats, four parakeets, a toucan, three porcupines, two monkeys, a snake, and, out in the garden, a zebra without any stripes. Jonás explained that he'd had to put the zebra's stripes on a poor tiger who had lost his own one day when he took them off to take a dip in the river.

Jonás, who had long, white hair, listened very carefully to María's story while he fed slices of banana to his toucan, Ramiro. When María finished explaining, Jonás said:

"I know just the trick."

Getting up from his rocking chair, he opened a drawer and pulled out an old, dusty book, which he then read very carefully. María was nervous but also excited: with any luck, she might have her voice back that afternoon.

Los preparativos comenzaron. Jonás partió un jitomate, después una cebolla y un aguacate, y se hizo un sándwich. Después le pidió a María que se sentara en una silla y que estuviera quieta. Jonás sacó unos polvos mágicos, los aventó por el aire e hizo sonidos con la voz mientras mordía su sándwich.

—Gara gara gara, guru, guru, gori, gori.

Los animales de la casa se pusieron a gritar al mismo tiempo. Sonaba terrible; era casi peor que el coro de niños de la escuela. Jonás le sopló a María en la cara y ella sintió las migajas del sándwich y también como si tuviera moscas en la garganta. Miró a Mamá y al brujo y abrió muy grande la boca.

—Hola.

¿Pero qué era eso? Esa no era la voz de María, ¡era la voz de un señor!

—Ya puedo hablar, tontos.

The preparations began. Jonás sliced a tomato, an onion, and an avocado and made himself a sandwich. Next he asked María to sit down on a chair and stay very still. Jonás took out some magic dust, threw it up in the air, and let out a few strange noises from his mouth as he munched on his sandwich.

All the animals in the house began to screech and bark and meow at once. It was a terrible racket; even worse than the school choir. Jonás blew into María's face and she felt bread crumbs pepper her cheeks. Then, suddenly, she felt like she had a swarm of flies in her throat. She looked at Marcela Martínez and at the wizard and opened her mouth wide.

"Hello."

But what on earth was this? That wasn't María's voice: it was a man's voice!

"I can speak again, dummies."

¡Y era un señor grosero!

—María, no hables así —dijo Mamá.

—No me regañes, zopilote.

Esto era insoportable, María no podía quedarse con esa voz.

—Esta no es la voz de María —le dijo Mamá a Jonás.

—Perdón, pero es la única que tengo.

—Pues no la queremos, quítela en este momento antes de que tenga que lavarle la boca con jabón —contestó Mamá.

Jonás volvió a decir sus palabras mágicas. Antes de irse la voz alcanzó a decir:

—Cabeza de zopilote.

Y después desapareció.

And he was a very rude man!

"María, don't talk like that," Mom said.

"Don't scold me, you big buffoon," María answered back.

This was unbearable. María couldn't keep this horrible voice.

"That's not María's voice," Mom complained to Jonás.

"I'm afraid it's the only one I've got."

"Well, we don't want it. Take it back right this minute before I have to wash out María's mouth with soap," Mom replied.

Jonás repeated his magic words, and the voice managed to get out one last "buffoon brains!" before leaving María and disappearing forever.

Jonás les dijo que podían intentarlo otra vez, pero Mamá y María ya habían tenido suficiente por un día. Jonás hizo aparecer un ramo de flores y se lo regaló a María.

—Espero que encuentres tu voz.

María Martínez también esperaba encontrarla.

Jonás told them they could give it another try, but Mom and María had had enough for one day. Jonás conjured a bouquet of flowers and gave them to María.

"I hope you find your voice."

María Martínez hoped so too.

{9}

María se fue a dormir sin cenar esa noche. No tenía hambre, ni tenía voz, ni tenía palabras. Se puso su pijama rosa, apagó la luz de la recámara y se metió entre sus cobijas. Estaba triste, muy triste, por eso lloró en silencio.

. . . .

That night María went to bed without eating her dinner. She wasn't hungry, she had no voice, and now she was even at a loss for words. She put on her pink pajamas, switched off the bedroom light, and slipped in between the warm sheets. She was sad, very sad, and cried silently in the dark.

¿Adónde se habría ido su voz? ¿Estaría hablando con alguien en ese momento? ¿Estaba en otro país? ¿La usaría otra persona? ¿Hablaba español? ¿Y si se había terminado todas sus palabras? ¿Su voz la extrañaría tanto como ella? ¿Por qué se había ido? ¿Por qué no estaba ahí justo en el momento en el que más la necesitaba?

"Si tuviera mi voz", pensó María, "le diría a Manuel que lo quiero mucho y que no estoy enojada con él por haber descompuesto la máquina que me hizo Papá. También le daría las gracias a Mamá por ser tan buena conmigo y cuidarme siempre, aunque haga travesuras. Si tuviera voz, le diría a Papá que es el mejor inventor del mundo y que me gustaría hacer una estatua para él en el parque, con un techo, para que no la manchen las palomas."

Where could her voice have gone? Could it be talking to someone somewhere right now? Was it in another country? Would someone else be using it? Did that person speak English or some other language? And what if they'd used up all her words? Was her voice missing María as much as María missed her voice? Why had it left her? Why wasn't it there now, when she needed it most?

"If I had my voice," María thought, "I would tell Manuel that I love him very much and that I'm not angry at him for breaking the machine Dad made for me. I would also say thank you to Mom for being so kind to me and always looking after me, even when I'm naughty. If I had my voice, I would tell Dad that he is the best inventor in the world and that I would like to put up a statue of him in the park, with a roof over it so the pigeons can't do their business on his head."

Y en ese momento, justo antes de quedarse dormida, María se dio cuenta de que estaba hablando con ella misma, aunque nadie más la pudiera escuchar.

Esa noche, María tuvo el mejor sueño de su vida. Soñó que era un pájaro grande y hermoso que volaba encima del campo y de las ciudades. Todo se veía muy chiquito desde arriba y la gente salía de sus casas para saludarla.

. . . .

And right then, just before falling asleep, María realized that she was talking to herself, although no one else could hear her.

That night, María had the best dream of her life. She dreamed she was a big, beautiful bird flying over the countryside and the cities. Everything looked very small from up there, and people came out of their houses to greet her.

Después, María cerró los ojos y voló de arriba a abajo y de abajo a arriba por los aires. Podía escuchar el viento y sentía la forma en la que le pegaba en la cara. Se sentía feliz.

In the dream, María closed her eyes and swooped up and down, up and down through the air. She could hear the wind and it felt fresh against her face. She was happy.

{10}

La luz del sol entró por la ventana. Era la mañana del domingo y Manuel, que siempre era el primero en levantarse, caminó hasta la cama de su hermana y se sentó en la orilla.

—¿Hermana, ya te despertaste?

. . . .

The sunlight shone in through the window. It was Sunday morning, and Manuel, who was always the first to get up, walked over to his sister's bed and sat down on the edge.

"Sis, are you awake?"

Manuel se sorprendió: por primera vez desde que había perdido la voz, María estaba sonriendo. Se veía contenta.

—¿Te puedo contar algo?

María le dijo que sí moviendo la cabeza. Cuando vio a Manuel ahí, María Martínez pensó que después de todo ese tiempo, nunca había escuchado lo que su hermano tenía que decirle. Desde el día en que había perdido su voz en el supermercado, Manuel la había acompañado con todos los doctores y les había explicado pacientemente lo que había pasado. Había faltado a la escuela dos días, y a él sí le gustaba la escuela. Y aunque había descompuesto a Cibervoz no podía enojarse con él. Seguramente tenía algo importante que decir.

Después, María pensó que tampoco había escuchado lo que Mamá tenía que decirle. Es más, ni siquiera había escuchado la opinión de Papá sobre todo el asunto. Finalmente nadie la conocía mejor que su familia.

Manuel was surprised: for the first time since losing her voice, María was smiling. She looked happy.

"Can I tell you something?" he asked.

María nodded. When she saw Manuel there, María Martínez realized that all this time she had never really listened to what her brother had to say to her. Since the day María lost her voice in the supermarket, Manuel had gone with her to all her appointments and explained patiently what had happened to her. He'd missed two days of school, and he really liked school. And even though he'd broken Cybervoice, she couldn't be angry with him. Clearly he had something important to tell her.

Then it occurred to María that she hadn't properly listened to Mom either. Nor had she listened to what Dad had to say about the whole business, and when it came down to it, nobody knew her better than her own family.

Y si su voz de verdad no regresaba, si su voz en verdad se había escapado para siempre, iba a tener que escuchar a Mamá, a Papá y a Manuel antes de tomar cualquier decisión en el futuro.

Después de tantos años de hablar y hablar y hablar, María se dio cuenta de lo importante que era escuchar a los demás.

. . . .

And if her voice really never came back, if it really had gone for good, she was going to have to listen to Mom, Dad, and Manuel before making any decisions in the future.

After so many years of talking and talking and talking, María realized that what really mattered was listening to others.

Toda su vida había estado tan ocupada hablando de cosas sin importancia, que no se había dado cuenta de que los demás también tenían cosas que decir. En ese momento, María decidió que si ya no podía hablar con los demás, entonces iba a aprender a escucharlos.

Y Manuel estaba ahí, frente a ella, y tenía algo que decirle. María concentró toda su atención en Manuel. Él se dio cuenta de que María le estaba poniendo atención aunque fuera más chiquito y aunque hubiera descompuesto el invento de Papá y por eso sonrió cuando empezó a hablar.

Manuel le contó a su hermana que había pensado que a lo mejor su voz sólo se había ido de vacaciones, y que a lo mejor estaba muy contenta en alguna playa, nadando en el mar y comiendo piñas. También le contó que a veces soñaba que ella se quedaba sin voz. Entonces ella lo escuchaba y se quedaban jugando y comiendo dulces juntos.

All her life she'd been so busy chatting away, sometimes about the least important things, that she hadn't realized that other people also have a lot to say. Then and there, María decided that if she couldn't talk to others, she would learn to listen to them.

And there was Manuel, right in front of her, and he had something important to tell her. María gave him her full attention. Manuel noticed that she was paying attention to him even though he was younger than her and even though he'd broken Dad's machine, and he was smiling as he opened his mouth to talk.

Manuel told his sister how he'd been thinking that maybe her voice had gone on vacation. It was probably lying on a beach somewhere, very relaxed and happy, swimming in the sea and eating pineapples. He also told her that he sometimes dreamed that she lost her voice, and that in his dream she listened to him and they played and ate candy together.

Era un sueño que le gustaba mucho. Pero ahora ya empezaba a extrañar a la voz de su hermana.

—Me gustaría que regresara —confesó Manuel.

—Te entiendo —dijo María con toda su voz.

Y Manuel la escuchó.

FIN

He had always really liked that dream. But now he was beginning to miss his sister's voice.

"I wish it would come back," Manuel confessed.

"I understand," María said.

And Manuel heard her.

THE END

Javier Peñalosa

A Javier Peñalosa (México) le gusta subirse a los árboles, andar en bici, jugar con sus amigos y tener ataques de risa. Le gusta cerrar los ojos y caminar intentando no chocar con nada. Le gustan las palabras y las historias. También escribe poesía y guiones para cine y TV.

Javier Peñalosa (Mexico) likes climbing trees, riding his bike, playing with his friends and having laugh attacks. He likes to close his eyes and try to walk without running into anything. He likes words and stories. He also writes poetry and scripts for movies and TV.

Estelí Meza

A Estelí Meza (México) le encanta dibujar desde que era pequeña. Le gusta ilustrar animales y plantas, viajar, leer y observar. Siempre lleva con ella un cuaderno para hacer bocetos. Nació en la Ciudad de México y su nombre significa río de la obsidiana.

Estelí Meza (Mexico) loves drawing since she was a young girl. She likes illustrating animals and plants, traveling, reading and observing. She always carries a notebook to sketch. She was born in Mexico City and her name means Obsidian River.